Déplie • Découvre

La BALEINE BLEUE

Texte de Philip Steele
Illustrations de Ian Jackson
Texte français de Lucie Duchesne

ÉDITIONS HÉRITAGE INC. — ÉDITIONS GAMMA

Quelques mots sur ce livre

La baleine bleue, c'est pratiquement deux livres en un seul. D'abord, de grandes illustrations en couleurs et une histoire toute simple racontent la vie de la baleine à l'état sauvage. Puis, à l'intérieur des feuilles repliées, se cache un trésor d'informations fascinantes qui viennent compléter l'histoire.

Si vous lisez le livre avec l'enfant, les faits présentés sous les rabats vous donnent l'occasion de faire une pause, de répondre aux questions et de discuter de l'histoire.

Les enfants qui lisent seuls prendront plaisir à déplier les rabats pour y faire des découvertes leur permettant de mieux comprendre l'histoire.

Après avoir lu **La baleine bleue**, si vous désirez obtenir plus de renseignements sur la protection des baleines, prenez contact avec le bureau local d'un organisme comme le *WWF* (Fonds mondial pour la nature).

Un petit avion survole l'océan Arctique. Soudain, le pilote aperçoit à quelque distance une grande forme sombre qui fend les vagues. Il s'en approche pour mieux l'observer : c'est une énorme baleine bleue. Décrivant un cercle au-dessus de l'océan, il reprend sa route en souriant, tout heureux de l'expérience qu'il vient de vivre.

C'est l'été, et Janus, la baleine bleue, est revenue dans l'Arctique. Elle nage tranquillement dans l'océan glacé, son énorme dos fendant les vagues. Soudain, une ombre noire s'approche de la banquise. C'est un épaulard ! Des oiseaux marins tournoient dans le ciel, leurs cris se répercutant sur l'eau, et les phoques, terrifiés, se précipitent vers la banquise.

Un pauvre phoque n'est pas assez rapide, et l'épaulard le happe avec ses puissantes mâchoires. L'énorme baleine bleue n'a rien à craindre et s'éloigne sans bruit.

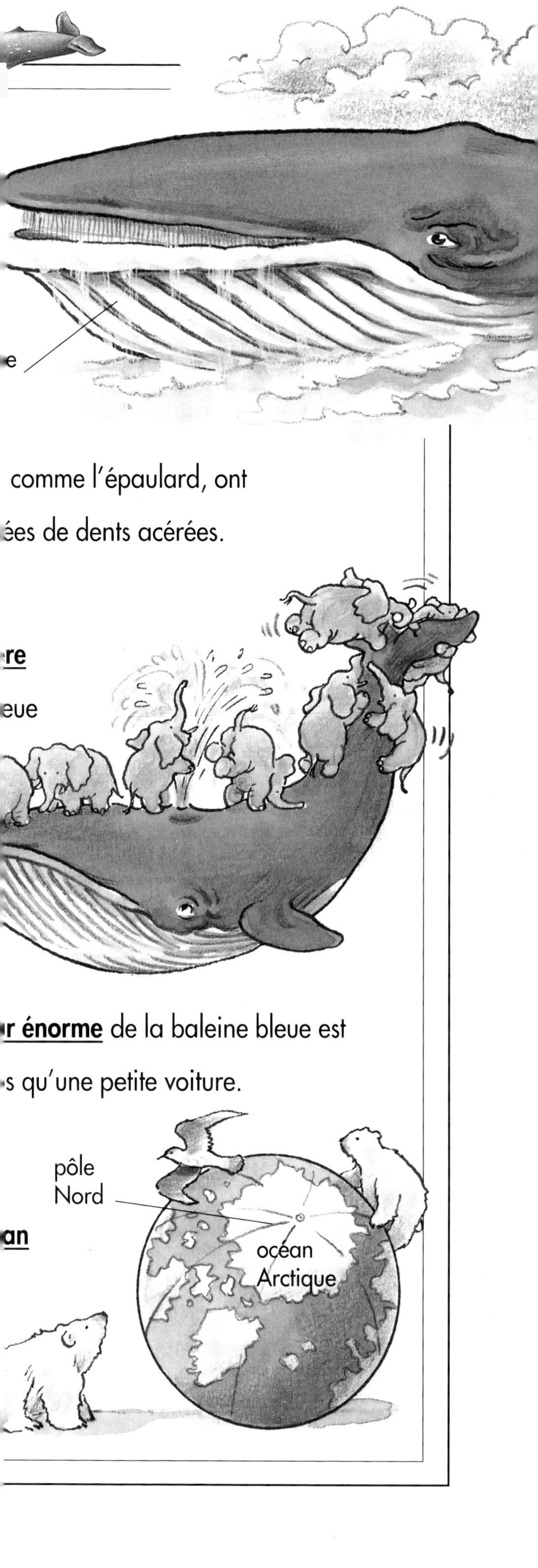

comme l'épaulard, ont
ées de dents acérées.

re

eue

r énorme de la baleine bleue est
s qu'une petite voiture.

an

• Il existe près de 80 **espèces différentes de baleines**. Certaines, comme la baleine bleue, n'ont pas de dents.

balei
bleue

D'autres
des ranç

épaulard

• La baleine bleue est le **plus gros mammif**
ayant jamais vécu sur Terre. Une baleine b
peut mesurer jusqu'à 30 mètres de long. Huit éléphants pourraient prendre place sur son dos !

• Le **cœ**
aussi gr

• La majeure partie de l'**océ**
Arctique est gelée en hiver ; les baleines bleues y viennent donc en été, lorsque les glaces hivernales ont fondu.

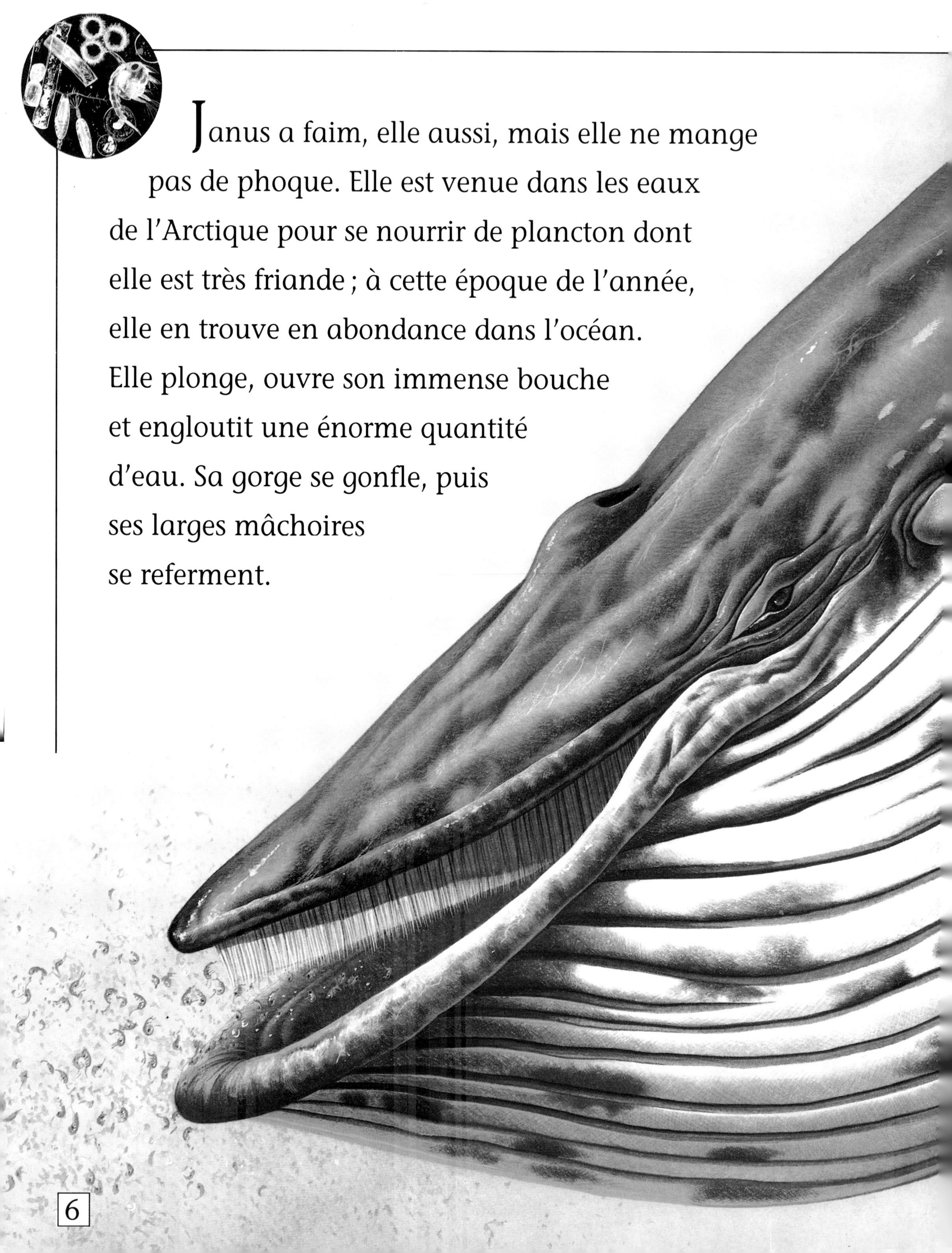

Janus a faim, elle aussi, mais elle ne mange pas de phoque. Elle est venue dans les eaux de l'Arctique pour se nourrir de plancton dont elle est très friande ; à cette époque de l'année, elle en trouve en abondance dans l'océan. Elle plonge, ouvre son immense bouche et engloutit une énorme quantité d'eau. Sa gorge se gonfle, puis ses larges mâchoires se referment.

Dans un grand jet,
Janus expulse l'eau
par les côtés de sa
bouche. Les particu-
les de nourriture
restent emprison-
nées derrière les
rangées de fanons.
À l'aide de sa
langue, elle projette
le plancton à
l'arrière de sa
bouche et l'avale.

bleue est une **grosse mangeuse**.
adulte avale environ deux tonnes
ure par jour. C'est plus que deux
ue tu manges
année !

microscope

‹

roscope.

– calmar

• Les **baleines pourvues de dents**
nangent des proies plus grosses
le plancton. L'épaulard se nourrit de
es, de pingouins et même d'autres
Le cachalot est friand de calmars.

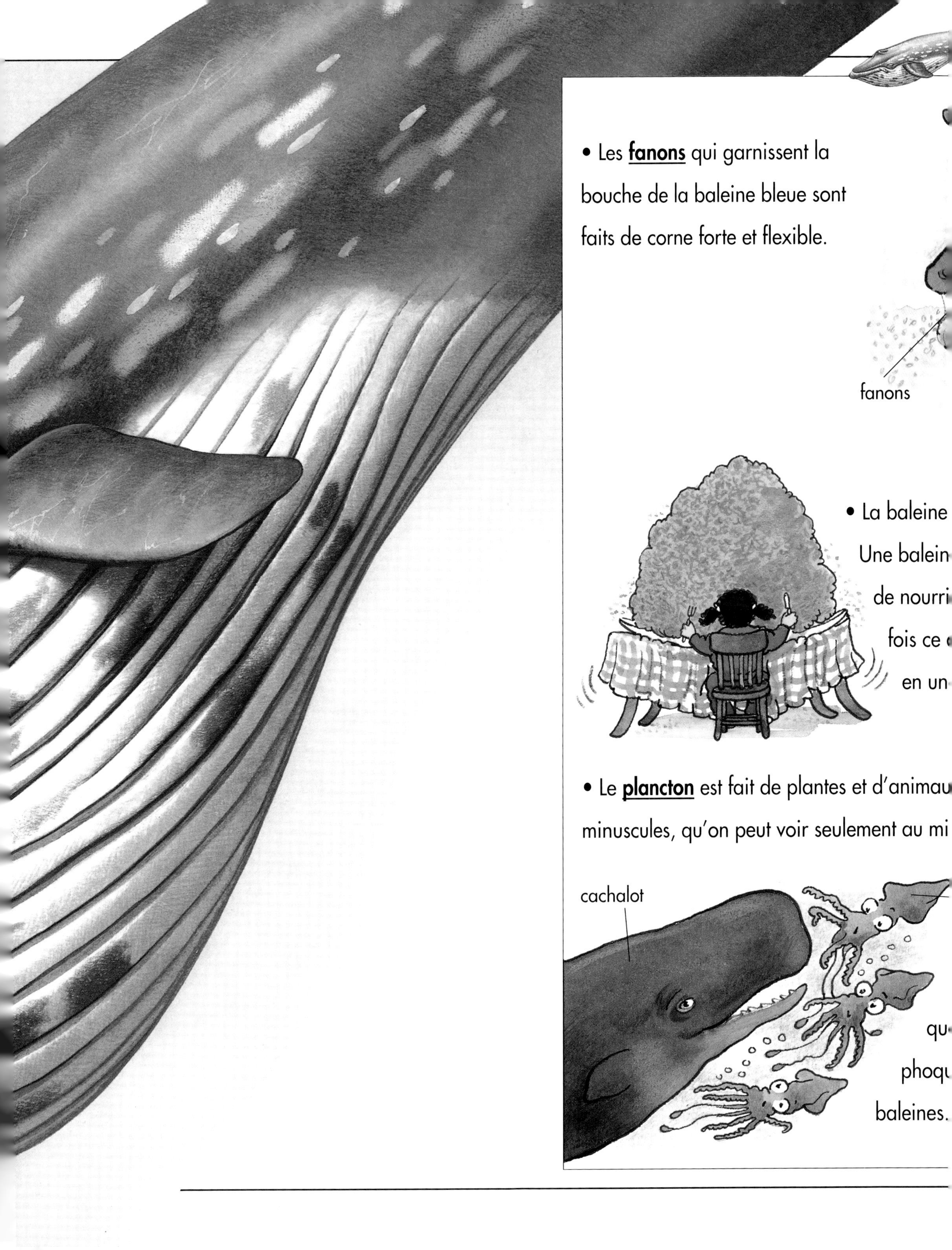

• Les **fanons** qui garnissent la bouche de la baleine bleue sont faits de corne forte et flexible.

• La baleine
Une balein
de nourri
fois ce
en un

• Le **plancton** est fait de plantes et d'animau
minuscules, qu'on peut voir seulement au mi

qu
phoqu
baleines.

Janus, comme les autres baleines bleues, mange le plus possible pendant le court été arctique, pour se doter d'une épaisse couche de graisse sous la peau. Avec l'arrivée de l'automne, le temps se refroidit et l'océan commence à geler. Lentement, Janus quitte les mers nordiques devenues inhospitalières et entreprend un long voyage vers des eaux plus chaudes.

t

eaux

nanger.

• L'**énorme queue** de la baleine s'appelle la nageoire caudale. La baleine nage en l'agitant de haut en bas. Ses autres nageoires lui servent de gouvernail.

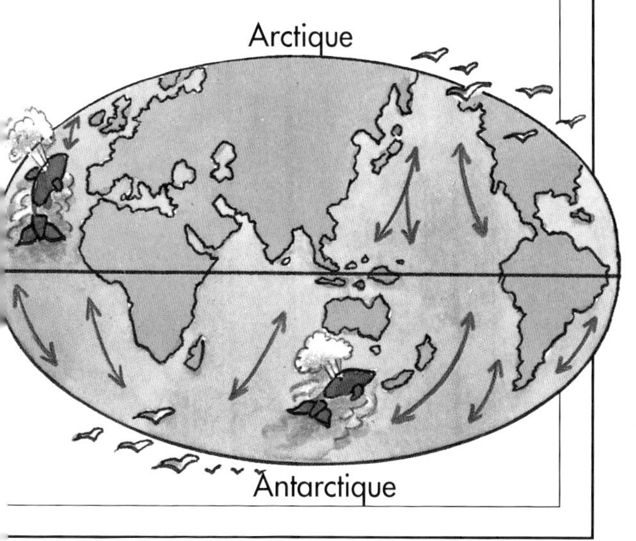

D'autres baleines
et des oiseaux quittent
aussi l'Arctique. Janus
entend leurs cris tandis
qu'ils se dirigent vers
le sud.

• L'**épaisse couche de graisse, de lard,** sous la peau de la baleine, la tient au chaud, un peu comme tes vêtements te gardent du froid en hiver. C'est égalem une réserve de nourriture pour la baleine pendant les mois qu'elle passera dans des plus chaudes, où il n'y a pas beaucoup à

• Il existe **deux groupes** de baleines bleues. Un groupe vit dans les régions nordiques et se nourrit dans l'Arctique. L'autre groupe vit dans le sud, près de l'Antarctique. Ils ne se rencontrent jamais.

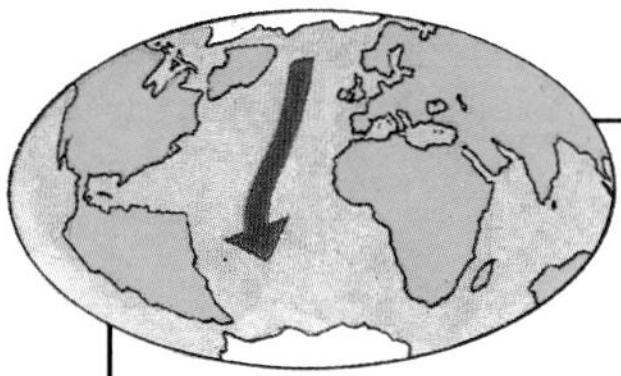

Janus nage vers le sud pendant près de trois mois. Parfois, il fait beau et la mer est calme. À d'autres moments, de violentes tempêtes balaient l'océan. Toutes les cinq ou dix minutes, elle refait surface pour expirer et pour prendre une grande bouffée d'air frais par les évents situés sur le dessus de sa tête.

Un oiseau qui
survole l'océan
aperçoit en dessous
de lui la haute
colonne de vapeur
rejetée par Janus.

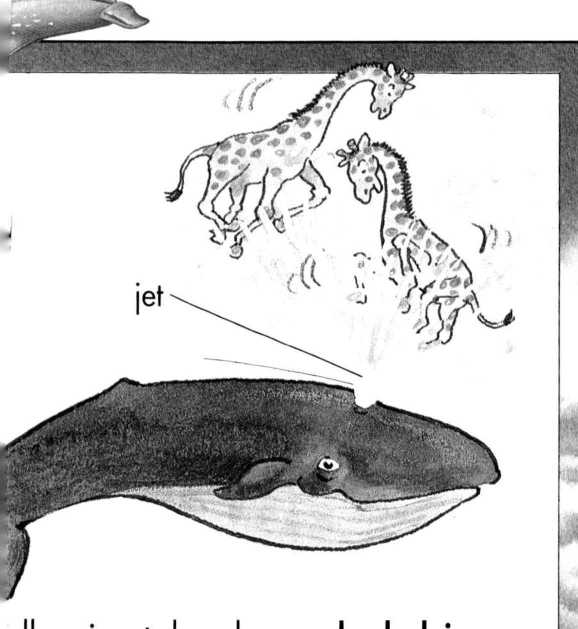

elles vivent dans la mer, **les baleines**
des poissons. Ce sont des
ɔut comme toi. Les mammifères
ʾits et ont besoin d'air pour
ı vie.

• Le **jet varie** selon les espèces de baleines. Certaines émettent un petit jet vaporeux et d'autres, un jet long et mince.

• La baleine respire en émettant un **jet** d'environ 9 mètres de haut. C'est deux fois plus que la hauteur d'une girafe !

• Bien qu

ne sont pas

mammifères,

allaitent leurs pe

respirer et rester e

• Quand tu respires à l'extérieur par temps froid, tu peux souver voir l'air que tu expulses. Le **jet d'air chaud** de la baleine est produit de la même façon.

En approchant de sa destination, Janus rencontre un groupe de baleines à bosse. Soudain, dans une énorme vague, une des baleines saute hors de l'eau. Autour d'elle, des milliers de gouttelettes brillent au soleil.

Quelques secondes plus tard, la baleine à bosse replonge dans un grand plouf.

à bosse **ne saute pas toujours de la même façon**. Parfois, elle se penche sur le côté et frappe les vagues de sa nageoire. Parfois, elle agite simplement ses nageoires.

s scientifiques croient que **les baleines bleues sont trop grosses pour sauter**, mais ils n'en sont pas certains.

• Les baleines **bondissent hors de l'eau**. Personne ne sait vraiment pourquoi. Peut-être qu'elles le font pour s'envoyer des signaux ou simplement pour s'amuser !

• La baleine

• Certaines baleines aiment **sortir leur tête hors de l'eau** pour regarder aux alentours.

• L

Finalement, Janus atteint des eaux plus chaudes. Alors qu'elle se laisse flotter pour se reposer, elle entend au loin l'appel d'une autre baleine bleue. Elle lui répond et, quelques heures plus tard, une baleine plus grosse qu'elle s'approche. C'est un mâle. Il nage autour d'elle et la touche de son museau. Ils jouent ensemble et finissent par s'accoupler.

Janus reste dans
les eaux chaudes
pendant plusieurs
semaines, épuisant
peu à peu les réserves
de graisse emmaga-
sinées dans son corps.
Elle maigrit et a de
plus en plus faim.
Il sera bientôt temps
de remonter vers
l'Arctique, où la glace
commence à fondre.

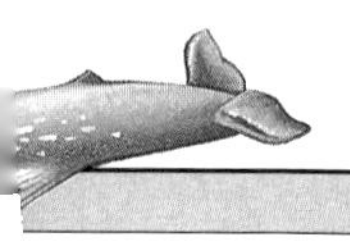

ıbituellement, les baleines mâles et femelles **ne restent pas en couple**. Les baleines qui se déplacent par deux sont généralement une mère on petit.

es baleines peuvent **entendre les ns des autres baleines à de grandes istances**. Si tu cries, toi, on peut seulement t'entendre à 1 km à la ronde et, si tu siffles, à environ 3 km.

La voix d'une baleine bleue peut être entendue à 80 km à la ronde !

• Certaines espèces de baleines **se déplacent en petits groupes**. Un groupe de baleines s'appelle un banc.

• Les baleines à bosse **sont celles qui chantent le mieux**. Leurs chants sont très variés : grognements, claquements, grincements et gémissements.

Un matin, en remontant vers le nord, Janus flaire un danger. Au loin, de grandes nageoires noires fendent les vagues. C'est une bande d'épaulards ! Ils attaquent une jeune baleine bleue qui voyage seule. Rapidement, Janus vient à sa rescousse.

Janus fouette les épaulards de son énorme queue et les éloigne. Même si elle est blessée, la jeune baleine est sauve.

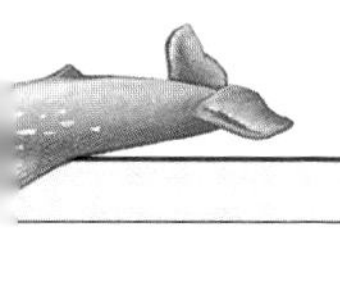

es baleines bleues et les épaulards **ent** généralement à une vitesse on 14 km/h, soit trois fois plus i. Sur de courtes distances, er jusqu'à 45 km/h.

ateur a vu une baleine franche **utiliser sa nageoire caudale comme une voile** pour que le vent la pousse !

• Les épaulards **chassent souvent en groupes**. Chaque groupe peut compter de 4 à 40 épaulards.

• l
nag
d'envi
vite que t
ils peuvent al

• La plupart des baleines et des dauphins **s'entraident** lorsqu'ils sont en difficulté. On raconte même que des dauphins ont aidé des humains en difficulté dans l'eau.

• Un observ

Janus passe un autre été à se nourrir dans l'Arctique. Puis, une fois encore, elle entreprend sa longue migration vers le sud. Un soir, au coucher du soleil, le bruit d'un moteur de bateau rompt le silence. Au loin, elle entend aussi des cris d'oiseaux et des voix.

›nant, il est **interdit de chasser**
rs espèces de baleines, dont la
e bleue. Mais on a tellement tué
eines bleues que les scien-
s croient qu'il n'en reste plus
00 environ dans nos océans.

Un petit rorqual a été tué par le baleinier. D'un coup de queue, Janus plonge le plus rapidement et le plus profondément possible pour s'éloigner de la nappe de sang qui s'étend sur l'eau.

• Les humains **ont chassé** la baleine pendant des siècles. Des millions de baleines ont ainsi été tuées pour leur chair ou pour leur lard dont on peut tirer des huiles, servant par exemple à la fabrication de savon ou de margarine.

• Maint
plusie
balei
de b
tifiqu
que 1

• Une commission internationale sur les baleines et des groupes comme Les Amis de la Terre et Greenpeace **essaient de faire cesser la chasse à la baleine**. Ils veulent s'assurer que les baleines pourront survivre.

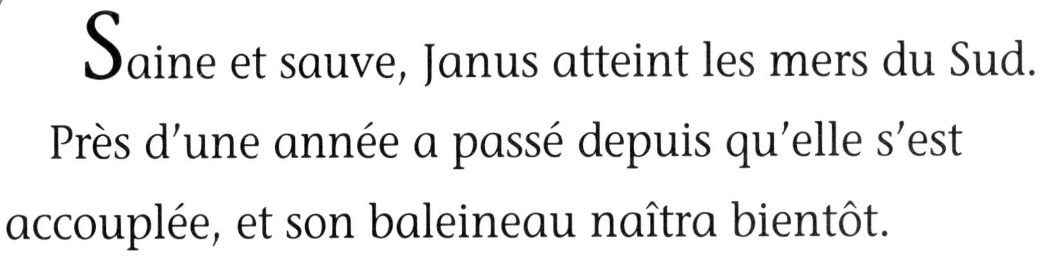

Saine et sauve, Janus atteint les mers du Sud. Près d'une année a passé depuis qu'elle s'est accouplée, et son baleineau naîtra bientôt. Quand le petit vient au monde, c'est sa queue qui apparaît d'abord. Sa mère le pousse rapidement à la surface de l'eau pour qu'il puisse prendre sa première bouffée d'air.

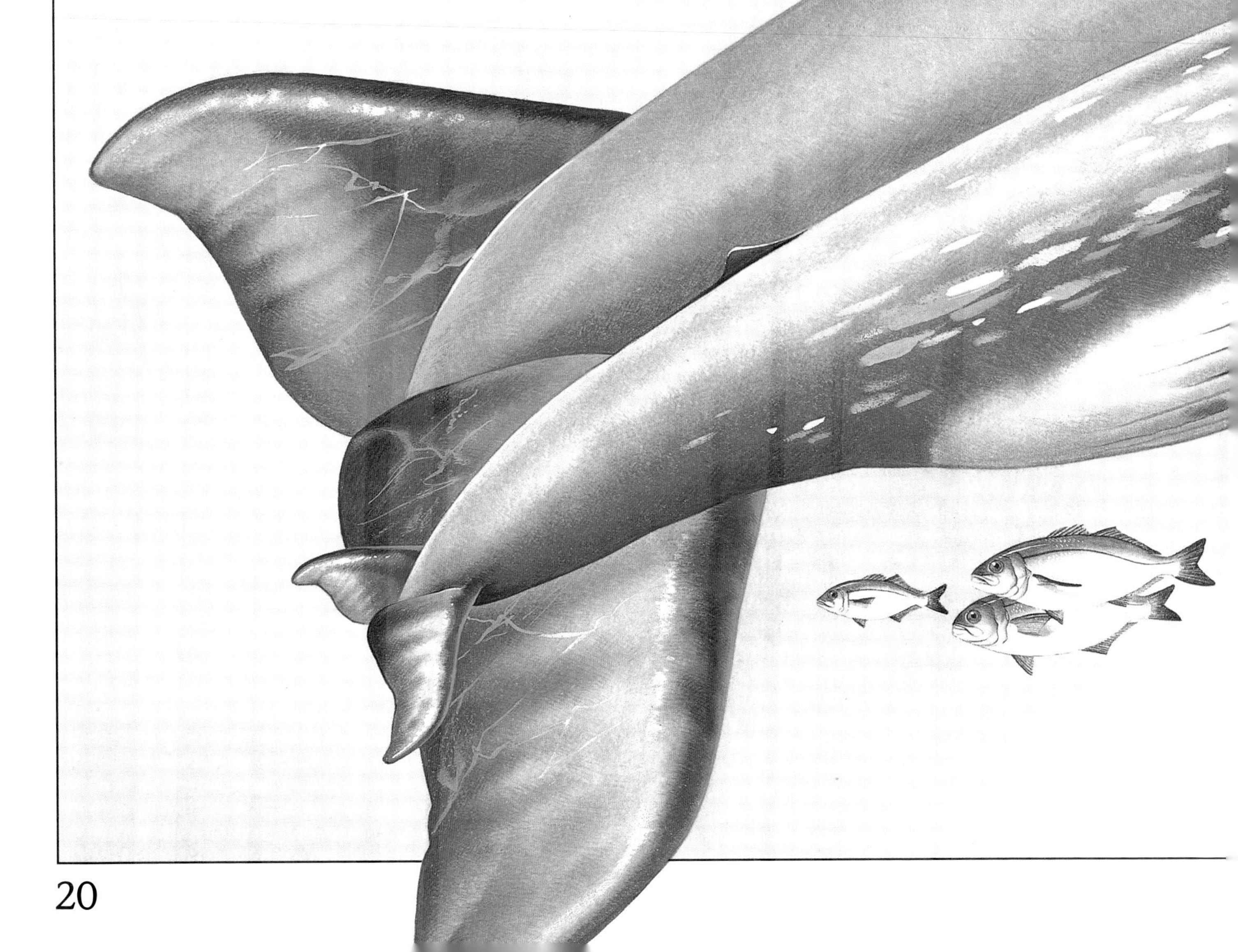

Le baleineau a faim
et trouve rapidement
la mamelle de sa
mère. Au début, il
passe le plus clair
de son temps à se
nourrir, pour devenir
grand et fort.

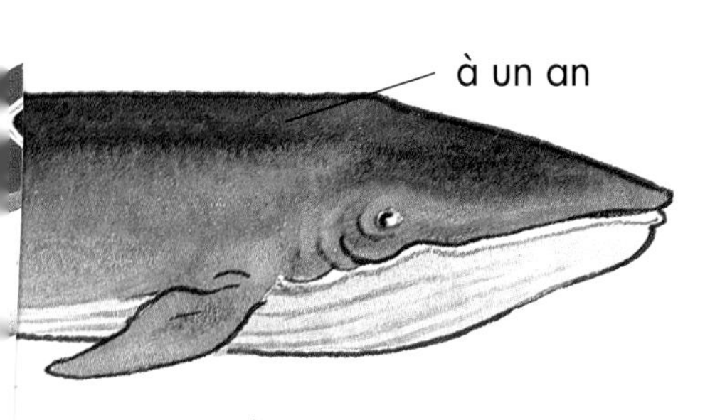

pidement. À six mois, il est
sure près de 14 mètres.

baleineaux grandissent rapidement
arce que le lait de leur mère est très
riche. Un nouveau-né affamé **boit**
jusqu'à 100 litres de lait en une
seule journée.

baleineau reste avec sa mère jusqu'à
âge de deux ans. Les baleines bleues
vivent jusqu'à 60 ans environ.
Certaines atteignent même
l'âge de 100 ans.

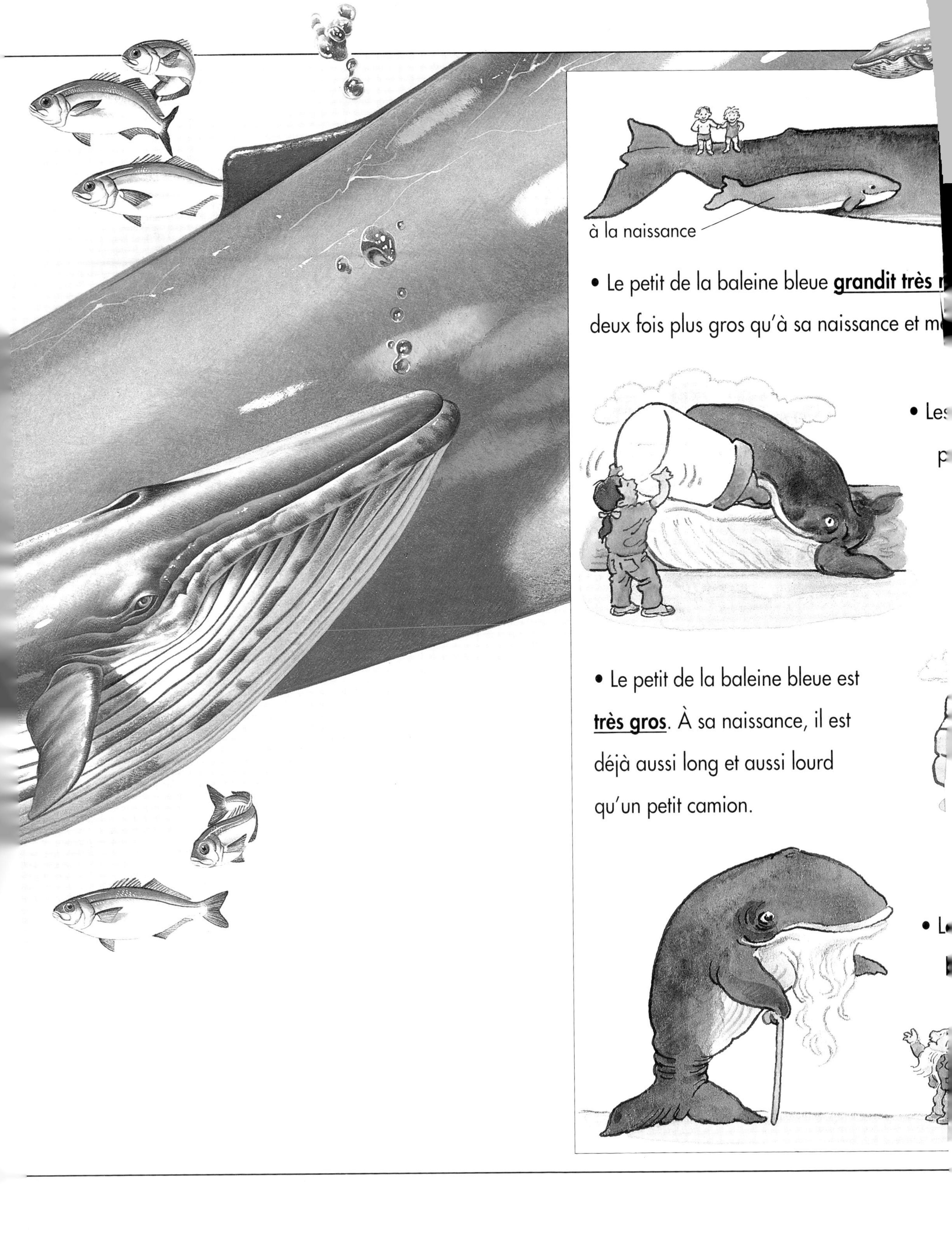

• Le petit de la baleine bleue **grandit très r**
deux fois plus gros qu'à sa naissance et m

• Le
p

• Le petit de la baleine bleue est **très gros**. À sa naissance, il est déjà aussi long et aussi lourd qu'un petit camion.

• L

Lorsque le petit de Janus aura cinq mois, il partira pour l'Arctique avec sa mère. C'est là qu'elle lui apprendra à subvenir lui-même à ses besoins.

C'est de nouveau l'été. Le pilote aperçoit une baleine bleue et son baleineau nageant à ses côtés ; c'est Janus et son petit. Il sourit. Il est heureux de voir qu'ils remontent vers le nord.

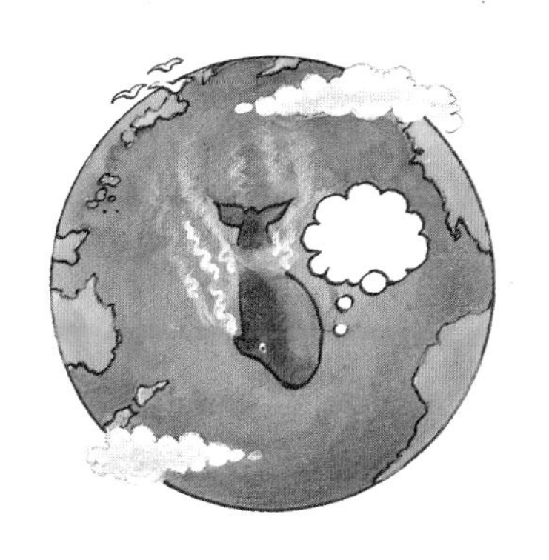

Index

Lorsque le numéro de la page est **en gras, comme ceci**, cela veut dire que tu trouveras les mots sous les rabats.

L'édition originale de cet ouvrage a paru
sous le titre **The Blue Whale**

Adaptation française
Lucie Duchesne

Dépôts légaux : 4e trimestre 1994
Bibliothèque nationale du Québec
Bibliothèque nationale du Canada
ISBN : 2-7625-7786-1

Exclusivité en Europe
Éditions Gamma Jeunesse, Tournai, 1994
D/1994/0195/102
ISBN : 2-7130-1715-7
Loi n° 49-956 du 16 juillet 1949
sur les publications destinées à la jeunesse.

Imprimé à Singapour